Bengali translation by Sibani Raychaudhuri

First published 1988 by André Deutsch Ltd.,
105 Great Russell Street, London WC1B 3LJ
Copyright © Jennie Ingham Associates Ltd. 1988

Bengali translation by Sibani Raychaudhuri
Bengali translation checked by Gayatri Chakrabarti

ISBN 0 233 98217 5

Printed in Great Britain by Cambus Litho, East Kilbride

The Wishing Tree

কল্পতরু

Told by Usha Bahl
Illustrated by Heather Dickinson
Editor: Jennie Ingham

André Deutsch with Jennie Ingham Associates Ltd.

Once upon a time there was a great famine in East Africa.
All the living creatures were starving to death.

কোন এক সময়ে পূর্ব্ব আফ্রিকায় ভীষণ দুর্ভিক্ষ হয়েছিল।
সব জীবজন্তু না খেতে পেয়ে মারা যাচ্ছিল।

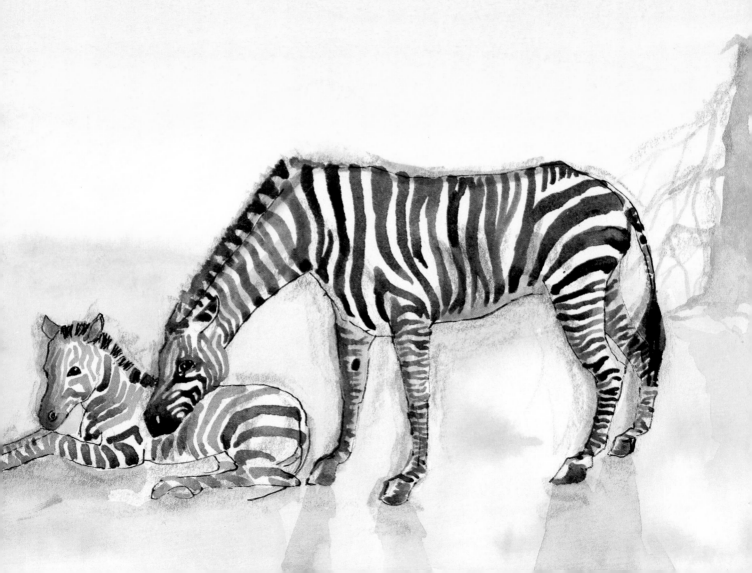

The Wishing Tree stood in the middle of the savannah.

Word had it that the tree would grant any wish if only someone called out its real name.

Nobody knew the tree's real name.

সাভানার ঠিক মধ্যেখানে কল্পতরু দাঁড়িয়েছিল।

লোকে বলত কেউ যদি গাছটার আসল নাম ধরে ডাকতে পারে, তবে গাছটা তার যে কোন ইচ্ছা পূরণ করবে।

কেউই গাছটার আসল নাম জানত না।

The meerkat sat up as tall as it could and said, "My grandfather used to say that the Spirit of the Mountains knew the answers to all the mysteries of the world."

"Somebody must go to the top of the mountain and ask the Spirit or we'll all die," said the honey badger.

মীরক্যাট্ যতটা পারল সোজা হয়ে বসে বলল, "আমার নানা বলতেন পাহাড়ের আত্মা পৃথিবীর সব রহস্যের উত্তর জানে।"

মধু বেজি বলল, "আমাদের কারো পাহাড়ের মাথায় উঠে তার আত্মাকে জিজ্ঞাসা করা উচিত, তা' না হলে আমরা সবাই মারা যাব।"

The impala was considered to be fleet of foot, so she was given the honour of visiting the Spirit of the Mountains.

She soon reached the top of the mountain and asked the Spirit to help her.

হরিণীর দ্রুতগামী বলে নাম ছিল, তাই পাহাড়ের আত্মার সঙ্গে দেখা করার ভার পড়ল তার ওপর।

সে খুব তাড়াতাড়ি পাহাড়ের মাথায় পৌঁছে গেল, আর আত্মাকে বলল সাহায্য করতে।

''We are all starving. Please, will you tell us the real name of the Wishing Tree?''

''Uvuganlma,'' the Spirit replied.

After repeating the name to herself several times, the impala set off hastily down the mountain.

"আমরা সবাই না খেতে পেয়ে মারা যাচ্ছি। দয়া করে কল্পতরুর আসল নামটা বলবেন আমাদের?"

আত্মা উত্তর দিল, "উভুগান্‌লামা।"

নামটা বারকয়েক নিজের মনে বলে, হরিণী তাড়াতাড়ি পাহাড় থেকে নামতে লাগল।

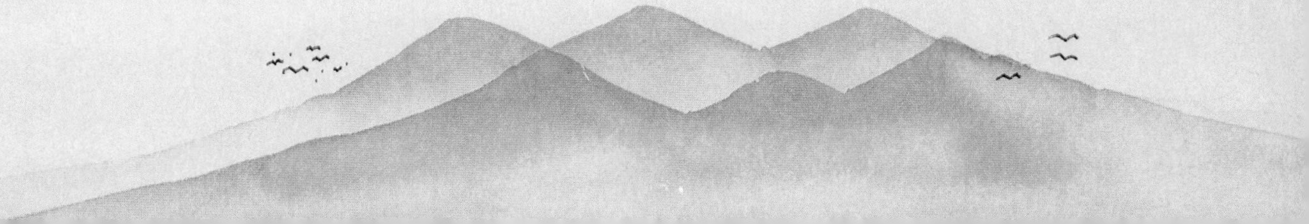

Suddenly, she hit an anthill, fell over and rolled down the mountain.

She picked herself up quickly and hurried on to see her friends.

Everyone was waiting patiently.

হঠাৎ, সে একটা উঁইটিবিতে ধাক্কা খেয়ে পড়ে গেল আর সে পাহাড় থেকে গড়িয়ে পড়ল।

সঙ্গে সঙ্গেই সে উঠে তাড়াতাড়ি তার বন্ধুদের সঙ্গে দেখা করতে গেল।

সকলেই ধৈর্য্য ধরে অপেক্ষা করছিল।

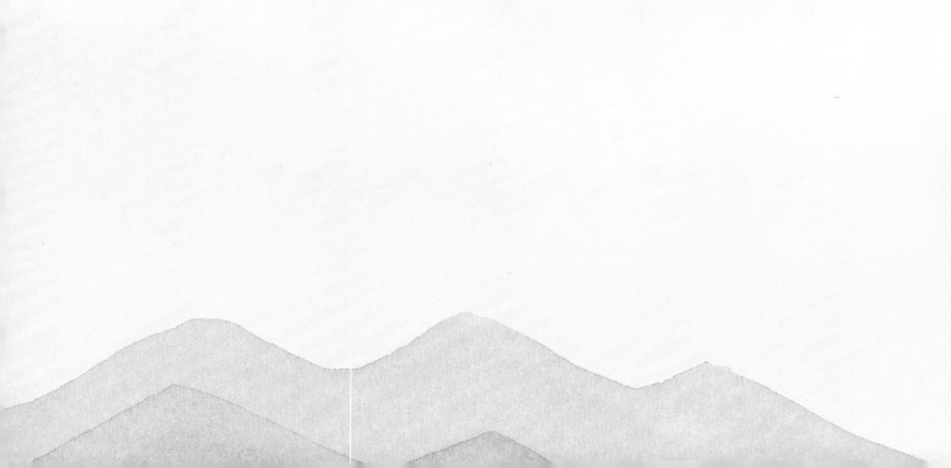

"Tell us the name," they cried.

The impala replied, "It was Uvu... Uvugl... Uvugl..."

She had forgotten the name!

The animals were angry and disappointed.

তারা চেঁচিয়ে উঠল, "আমাদের নামটা বল।"

হরিণী উত্তর দিল, "উভু... উভুগ্ল...উভুগল্..."

নামটা সে ভুলে গেছে!

জন্তুরা সব হতাশ হল আর সেই সঙ্গে তাদের রাগও হল।

When they met together the next morning, the buffalo stepped forward,
puffed out his chest and shouted that he would go up the mountain.
He said that he was bigger and stronger than the impala.

"I am more reliable than that flighty creature," and he set off to see the
Spirit of the Mountains.

পরের দিন যখন তারা একসঙেগ জড়ো হল, একটা মহিষ এগিয়ে এসে বুক ফুলিয়ে চেঁচিয়ে চেঁচিয়ে বলল যে সে পাহাড়ের মাথায় উঠবে। সে বল্‌ল যে হরিণীর চেয়ে সে আকারে বড় আর তার গায়ে জোরও বেশী।

"আমি ওই চঞ্চল জন্তুটার চেয়ে অনেক বেশী বিশ্বাসযোগ্য," বলেই সে পাহাড়ের আত্মার সঙেগ দেখা করতে রওনা হল।

When he got to the top of the mountain he asked for the name of the Wishing Tree.

''The impala forgot the name,'' he said. ''Please, will you tell me, so that all the animals can survive?''

The Spirit said the name was Uvuganlma.

Feeling very pleased with himself, the buffalo bolted down the mountain full tilt...

যখন পাহাড়ের মাথায় পৌঁছল, তখন সে কল্পতরুর আসল নাম জানতে চাইল।

সে বলল, "হরিণী নামটা ভুলে গিয়েছিল। দয়া করে নামটা আমাকে বলবেন, তাহলে সব জন্তুরা প্রাণে বাঁচবে?"

আত্মা বলল নামটা হল উভুগান্‌লামা।

মহিষ তখন ভীষণ খুশী হয়ে দারুন বেগে পাহাড় থেকে নামতে লাগল...

Until he also collided with the anthill and tumbled down the mountain.

Awkwardly he got up and made his way to the waiting animals.

Despite his tumble, he was still convinced that he could never forget the name of the Wishing Tree.

''It is Uvung... Uvung...'' He too had forgotten the name.

যতক্ষণ পর্যন্ত না সে উঁইটিবিটার সঙ্গে ধাক্কা খেয়ে পাহাড় থেকে গড়িয়ে পড়ল।

জবুথবু হয়ে সে উঠে দাঁড়াল, আর যে সব জন্তুরা অপেক্ষা করছিল তাদের দিকে এগিয়ে গেল।

ঐরকম গড়িয়ে পড়া সত্ত্বেও, তার তখনো বিশ্বাস ছিল যে সে কিছুতেই কল্পতরুর নামটা ভুলতে পারে না।

"এটা উভুং... উভুং..." সেও নামটা ভুলে গিয়েছিল।

''We knew you would not be able to remember the name,'' said the animals angrily.

On the third day, the lion said he had better go himself, since there was no point in sending anyone else.

He set off proudly.

জন্তুরা রেগে গিয়ে বলল, "আমরা জানতাম তুমি কিছুতেই নামটা মনে রাখতে পারবে না।"

তৃতীয় দিনে সিংহ বলল যে তার নিজের যাওয়াই ভাল, কারণ আর কাউকে পাঠাবার মানে হয় না।

সে গর্বের সঙ্গে রওনা হল।

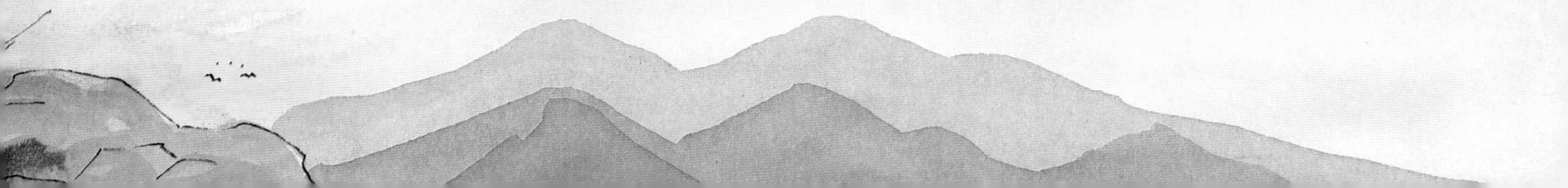

When he came to the Spirit of the Mountains, he said, ''The impala and the buffalo forgot the name, so I have come here myself to ask the name of the Wishing Tree.''

For the third time the Spirit gave the name.

At once the lion ran down the mountain in his excitement and, just like the others, collided with the anthill.

While he was rolling down the mountain, he too forgot the name!

যখন সে পাহাড়ের আত্মার কাছে পৌঁছল, সে বলল, "হরিণী আর মহিষ নামটা ভুলে গেছে, তাই আমি নিজেই এসেছি কল্পতরুর নামটা জিজ্ঞাসা করতে।"

এই নিয়ে তৃতীয়বার আত্মা নামটা বলে দিল।

তখনই সিংহ উত্তেজিত হয়ে পাহাড় থেকে দৌড়ে নামতে লাগল, আর অন্যদের মতই উঁইঢিবিতে ধাক্কা খেল।

পাহাড় থেকে গড়িয়ে পড়ার সময় সেও নামটা ভুলে গেল!

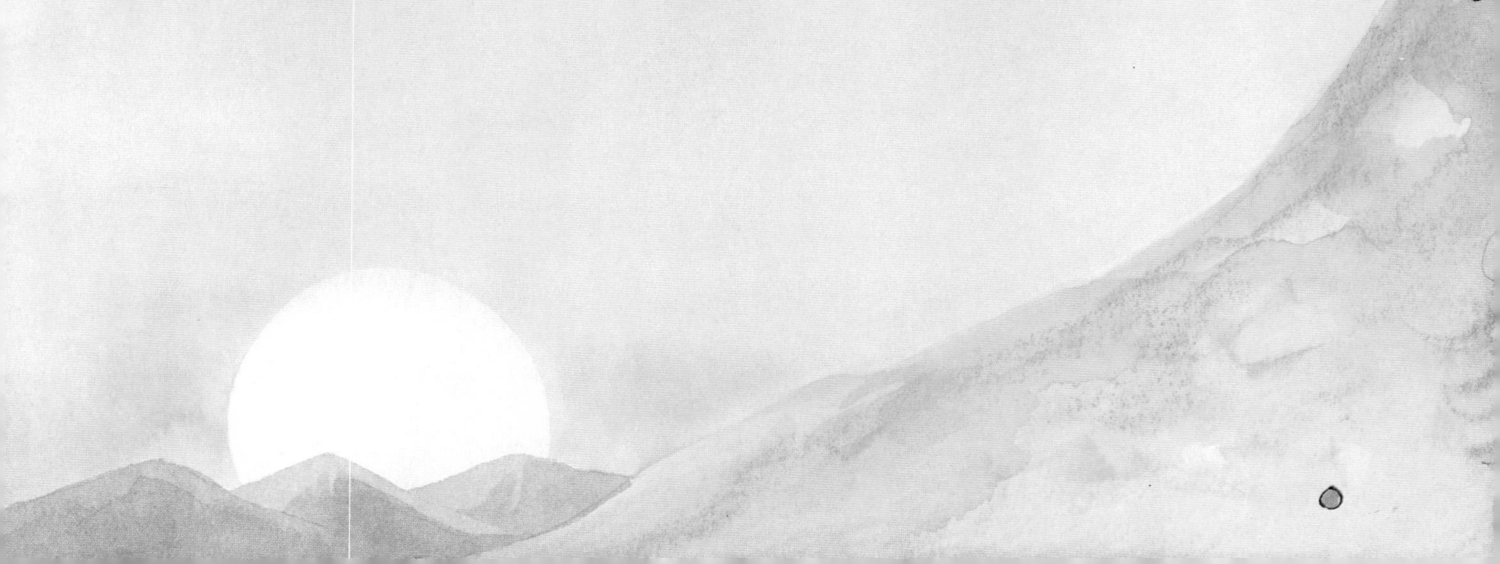

The animals were in despair. They called a special meeting, but nobody could decide anything.

Then, the tortoise pushed slowly forward and said, ''I'll go to the Spirit of the Mountains and bring the name back safely.''

The rest of the animals laughed weakly. ''You?!'' they cried.

The fast, the strong and the clever animals had failed. What could a small, slow tortoise do?

The tortoise said, ''Wait for me until tomorrow evening. If I do not keep my promise, then you can make fun of me.''

জন্তুরা হতাশ হল। তখন তারা একটা বিশেষ সভা ডাকল, কিন্তু কেউ কিছুই ঠিক করতে পারল না।

তখন কচ্ছপ আস্তে আস্তে এগিয়ে এসে বলল, ''আমি পাহাড়ের আত্মার কাছে যাব আর নামটা সাবধানে নিয়ে আসব।''

অন্য জন্তুরা একটুখানি হাসল। ''তুমি?!'' তারা চেঁচিয়ে উঠল।

দ্রুতগামী, শক্তিশালী আর চালাক জন্তুরাই সব হার মেনে গেল। একটা ছোট, ধীর কচ্ছপ কি করতে পারবে?

কচ্ছপ বলল, ''কাল সন্ধ্যে পর্যন্ত আমার জন্য অপেক্ষা কর। যদি আমি প্রতিজ্ঞা রাখতে না পারি, তখন তোমরা আমাকে নিয়ে তামাশা কর।''

The animals agreed to let him go.

The tortoise set out early on the fourth day. Eventually, round about sunset, he reached the top of the mountain.

He said to the Spirit, "Please, sir, will you tell me the name of the Wishing Tree, so that I can save all the animals?"

"You must listen carefully," boomed the Spirit of the Mountains. "After this, I will not tell the name of the Wishing Tree to anyone else. The name is Uvuganlma."

জন্তুরা তাকে যেতে দিতে রাজী হল।

চতুর্থ দিনে খুব সকালে কচ্ছপ রওনা হল। অবশেষে সূর্য্যাস্তের সময় সে পাহাড়ের মাথায় পৌঁছল।

সে আত্মাকে বলল, "হুজুর, দয়া করে আমাকে কল্পতরুর নামটা বলবেন কি? তাহলে আমি সব জন্তুদের বাঁচাতে পারি।"

"তুমি খুব ভাল করে শোন," পাহাড়ের আত্মা গর্জ্জন করে উঠলেন। "এর পরে, আমি কল্পতরুর নামটা আর কাউকে বলব না। নামটা হল উভুগান্‌লামা।"

The Tortoise stepped forward and said, ''Uvuganlma.''
Then he slept, but even in his sleep he kept saying to himself, ''Uvuganlma.''

কচ্ছপ এগিয়ে গিয়ে বলল, "উভুগান্‌লামা।" তারপর সে ঘুমাল,
এমনকি ঘুমের মধ্যেও সে নিজের মনে বলতে লাগল, "উভুগান্‌লামা।"

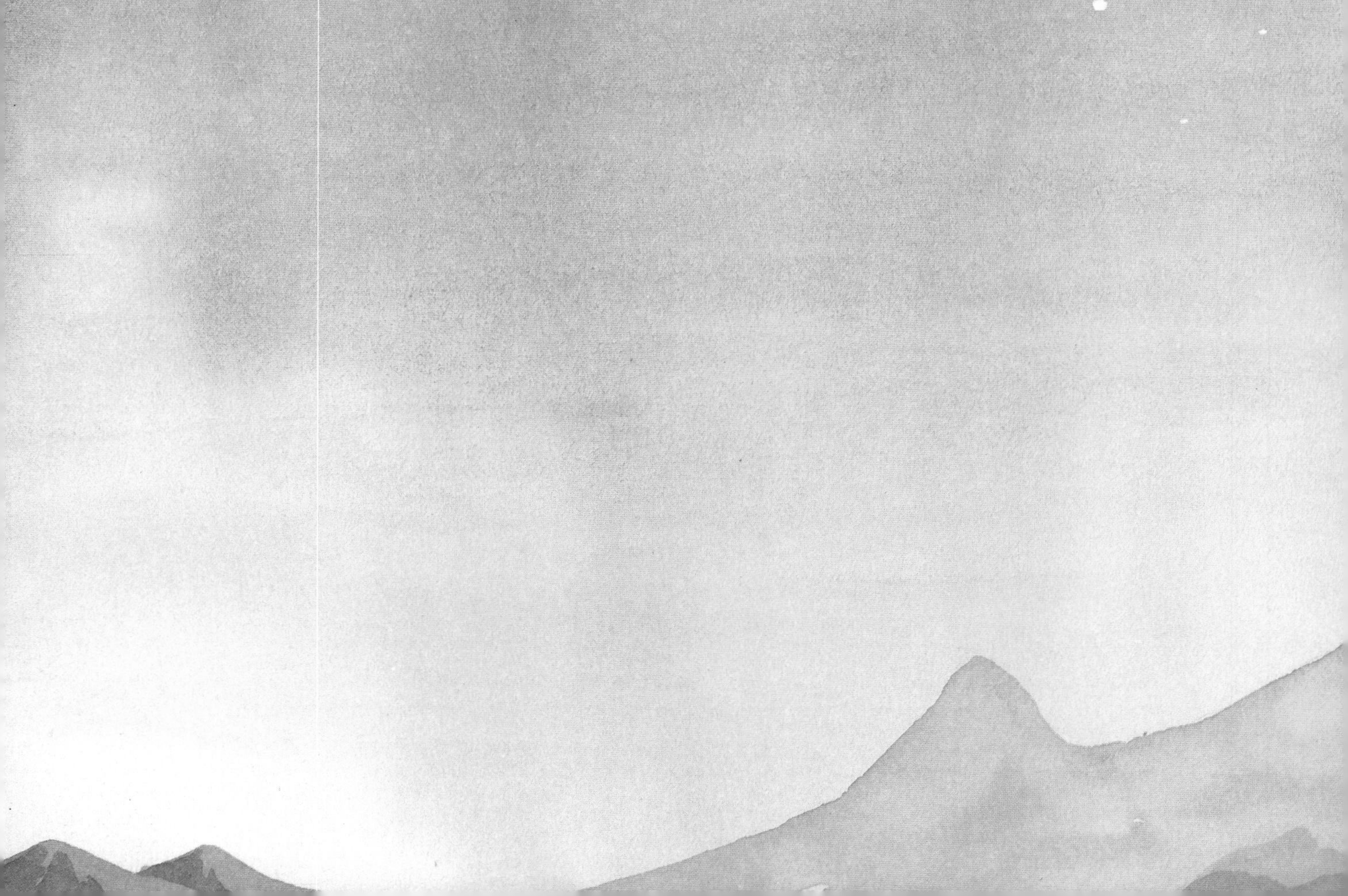

At sunrise next day, he started to climb slowly down the mountain.

Each time he slipped or tripped, he said, ''Uvuganlma.''

When he came to the anthill, he skirted around it carefully, saying, ''Uvuganlma.''

In the early evening he reached the Wishing Tree, and called out its name: ''Uvuganlma!''

পরের দিন সূর্য্যোদয়ের সময় সে আস্তে আস্তে পাহাড়ের নীচে নামতে লাগল।

প্রতিবার যখনই সে পিছলে পড়ছিল কি হোঁচট খাচ্ছিল, তখন সে বলছিল, "উভুগান্‌লামা।"

যখন সে উঁইটিবিটার কাছে এল, খুব সাবধানে সে তার চারদিক ঘুরল আর বলল, "উভুগান্‌লামা।"

সন্ধ্যের সময় সে কল্পতরুর কাছে পৌঁছল আর তার নাম ধরে ডাকল: "উভুগান্‌লামা!"

The tree shook and shivered. Fruits of all kinds and colours fell from the tree – guavas, pawpaws, mangoes and many more. And a spring bubbled up from its roots.

Everyone was able to eat and drink. They all thanked the tortoise.

Every day he went back to the tree and said, ''Uvuganlma,'' and the tree gave fruit and water.

গাছটা গা-ঝাড়া দিয়ে কেঁপে উঠল। নানা রঙের আর নানা রকমের ফল গাছ থেকে ঝরে পড়ল – পেয়ারা, পেঁপে, আম, ও আরো কত কি। আর গাছের শিকড় থেকে একটা ঝর্ণা বুদ্‌বুদিয়ে উঠল।

সবাই খেতে পেল আর সবাইর তেষ্টা মিটল। সকলে কচ্ছপকে ধন্যবাদ জানাল।

প্রতিদিন সে গাছের কাছে গিয়ে বলত, “উভুগানৃলামা,” আর গাছ ফল ও জল দিত।

The animals were saved.

At long last the rains came and everything began to grow.

The animals made the tortoise their leader and nobody ever made fun of his slowness again.

সব জন্তুদের প্রাণ বাঁচল।

অনেক অপেক্ষার পর বৃষ্টি এল, আবার সবকিছু জন্মাতে শুরু করল।

জন্তুরা সবাই কচ্ছপকে তাদের দলপতি করল, আর কেউ কোনদিন তার আস্তে চলা নিয়ে তামাশা করে নি।

GLOSSARY

guava   a small, edible, yellow fruit found in tropical countries

honey badger   an animal found in both Africa and Asia that feeds on honey
                          and small animals

impala   a type of antelope with long, curved horns

mango   a tropical fruit with a smooth skin of various colours and
                          sweet, orange flesh

meerkat   a type of mongoose with a long tail and four-toed feet

pawpaw   a tropical fruit with an orange skin and soft flesh containing
                          many black seeds

savannah   dry, open grassland on which there are few trees or shrubs